KB103249

그저 너라는 이유만으로 227

발 행 | 2023년 12월 11일
저 자 | 최서윤
펴낸이 | 한건희
펴낸곳 | 주식회사 부크크
출판사등록 | 2014.07.15.(제2014-16호)
주 소 | 서울특별시 금천구 가산디지털1로 119 SK트윈타워 A동 305호
전 화 | 1670-8316
이메일 | info@bookk.co.kr

ISBN | 979-11-410-5880-7

www.bookk.co.kr

그저 너라는 이유만으로

227

목차

펼치며

사랑의 기억을 정의 할 수 있게 도와 준
그대에게 이 책을 바칩니다.

이 책은 길고 길었던 사랑이라는 여정의
마침표입니다. 그에게서 사랑을 배웠고, 아픔을 배웠고,
세상의 아름다움을 배웠습니다.
저의 첫 도서인 [기억을 정의하다] 의 불분명한
미래의 이야기가 아닌, 모두가 살고 있는 그 세상에서
누군가와의 미래를 꿈꾸며 하루를 버티는 한 여중생에
대한 이야기로써 삶의 흔적과 사랑, 사람, 비판 모두를
담고 있습니다.

제가 온 마음 다해 좋아한 사람이 있습니다.
이 책을 낼 때 쯤 이면 아마도 가장 먼저 이 책을
읽고 있을 것입니다.

이 책은 사실 그에게 쓰는 마지막 책이 될지도
모릅니다. 이 종이 몇 장엔 그가 떠나기 전, 제가
마지막으로 해주고 싶었던, 그가 이 책을 다 읽었을
무렵 찾게 될 마음들이 담겨 있습니다.

앞선 일상 속의 날과 어두웠던 나의 기억,
서툰 나의 위로, 그리고 그대를 만난 뒤
그려진 세상을 정의 할 수 있게 도와주었던 그대에게

미안하다는 마음을
고마웠다는 마음을
이 책을, 내 마음을 다시 한 번 전합니다.

제 1 장.

널 생각하며 바뀌는 하루

가을이 오는 소리

불긋불긋
하나, 둘, 수줍어
머리끝부터 변하는 나무들과
이건 노란색, 저건 빨간색
모두 다른 모습이기에 더 아름다운 모습들

살랑살랑
하나, 둘, 가을바람 휩쓸려
세상 탐험하는 낙엽들
홀로 동떨어져 바닥에 떨어져버린 낙엽
다시 주워 가을바람에 태워 보낸다

한껏 가벼워진 사람들의 옷차림과
한껏 가벼워진 나의 마음을
나도 가을바람에 태워 보낸다

일상의 전환

매일 슬픈 노래만 찾아듣던 내가
매일 위로 노래만 듣로있던 내가

이젠
밝은노래를 듣고 있다

너로 인해 매일 변해가는 내가
이젠 어색하지 않다.

향긋한 향수, 그때의 향수

모든 계절, 모든 순간에는 냄새가 남아있다.
한 순간을 생각하면 나는 냄새는
여전히 그 때를 연상시키곤 한다.

봄에도 냄새가 있다
피어나는 꽃들의 향기와 따스한 햇살의 냄새
여름에도 냄새가 있다
후끈한 바람의 냄새와 들려오는 매미 소리의 내음
그리고 가을과 겨울의 냄새.

우리는 냄새를 기억하는게 아니라
그때의 추억을 기억하는 것 일지도 모르겠다
그리고 너에게도 냄새가 있다.
여전히 기억에 남는 너와 걷던 그 순간의 냄새들이
여전히 내 머릿속에 선명히 남은
그 시절의 향수가 되었다.

플레이리스트

사랑 노래를 듣자니
내 처지가 비참해지고
이별 노래를 듣자니
널 좋아하는 내가 사라질까 두렵고
위로 노래를 듣자니
내가 너무 우울해지고
OST를 듣자니
감정이 격해지고

네 목소리를 듣자니
내 눈에선 눈물이 난다

마음의 알

내가 품은 마음이란 알에
끝이란 있긴할까

내가 끝내는 상황일까
네가 끝내는 상황일까

아니면 정말 드물지만
맘에 품은 알이 부화하게 될까

서글픈 달 한 조각

밝은 빛 내는 달이
구름에 가려져
마지막 발악 인 듯 희미해져
마치 널 닮은 듯이

두껍게 덮인 구름이
달빛 끝까지 막아
달의 밝은 빛 더 이상 보이지 않네

그래도 점점 나타나는 달빛이
왜인지 서글퍼

색안경

때때로 쓰는 색안경이
널 너로 보게 만들어

노래를 추천해주는 널 보면
날 볼 때 마다 놀래는 널 보면

그때마다 너의 모습이 상상되어
형형색색 색안경 끼고 널 흐뭇하게 바라보곤 한다

그런데 요즘은
내 색안경의 색이 자주 바뀌어
너의 다른 모습들도 모두 너로 보게 만든다

제 2 장 .

너에 대해 주저하는
하루

흘러가는 시간

이뤄질 수 없다고

지나가던 바람도 새도
흘러가던 시간도
모두 말해주는데

너무 멀리 와버렸는지
내 마음이 내 마음 같지 않아
한숨 푸욱 쉬고
아련하게도 왔던 길 더 나아간다
바로 앞이 절벽이라 하지만
아련하게도 왔던 길 한 발짝 더 나아간다

너라는 갈림길

그 해 여름날, 나에게 너라는 길이 생겼다
수많은 갈림길 속에 너라는 길이 유독 반짝였다.
왜인지 그 길로 가면 날 찾을 수 있을 것 같아
꾸준히 너라는 길로 향했다.

날 찾을 수 있을 것 같아
꾸준히 너라는 길로 향했지만,
내가 찾은 것은 새로운 상처였다.

물론 그 길엔 쉼터도 있었지만 그 길이 험난했다는
사실은 결코 변치 않았다. 그 쉼터는 날 더 그 길에서
벗어나지 못하게 할, 마약성 진통제였던 것 일까.
처음부터 너라는 길로 가면 안됐던 것 이였는데.

그런데도 난 아직 그 길을 걸어간다.

그때가 오면

정말 만약에 말이야

내가 더 이상 네게 나눠 줄 마음이 없다고 느낄 때,
그땐 네가 나에게 마음을 나눠주면 안될까?
너에게 오랫동안 마음을 뺏겨버린 날 위해서
하루가 너로만 가득했던 날 위해서라도

그때는 내게 마음을 나눠주면 안될까?

처량한 내 삶이, 그리고 공허한 내 마음이
너무나도 아프지만
너 하나로 살아간 날 위해
내 마지막 부탁을 들어주면 안될까

난 너무 지쳤거든
난 이제 한계거든
그러니 이젠 네가 날 좀 잡아주라

마음 속 안개

안개였다.
너와 나의 시간들은 모두 안개였다.
새벽이었다.
너와 보낸 시간들은.
선명하기도 했었다.
잠깐 가까이 갔었나보다.

결국 모두
나의 상상에 불과한 안개였나
그 안개 개이고
이제서야 해와 인사하는 구나

포기

좋아했다
누구보다 진심으로 좋아했다
네 모든 모습이 좋았고 너라서 좋았다
능력 있는 모습이 날 본받고 싶게 만들고
재치 있는 모습이 날 웃게 만들고
가끔 던지는 따스한 말들이 날 편안하게 만들었다
그래서 널 싫어할 수 없었다.

그치만 이젠 싫어해보는 연습을 해봐야 겠다
널 더 바라보면
정말 다른 사람은 바라보지 못할까봐

기억의 거북이

언제부턴가 난 거북이가 좋았다.
수백년의 세월 동안, 그 기억들이
거북이의 등딱지 속에 세겨져 있는 것 같아서

만약 나에게도 기억을 세길 등딱지가 있다면
난 무슨 기억을 세기게 될까

너와의 만남일까 너와의 이별일까
네게 사랑받았던 순간일까 네게 사랑했던 순간일까

뭐가 되었든
내 기억엔 내가 없다
네 등딱지엔 내가 없다

결국

혼자 사랑하다
혼자 지쳤다

우리는
친구였다.

물방울

하루의 끝에 남아있던 자그만 한 행복이
꿈 인듯 안개 인듯 사라져버린 날

내 안에 선명했던 내 목소리가
희미해져가는 날

깊게 번진 내 마음 속 머물던 네가
사라져가는 날

시간 담긴 물방울이
똑, 똑, 똑,
내 마음을 두드림과 동시에
툭, 툭, 툭,
바닥 저 끝으로
곤두박칠 쳤다

조용히 담아둔 시간의 물방울들을
이제는 정말 조용히 보내줘야지

반복적

제자리에 서
뒤를 돌아봐
걸어온 길 멀고도 험난했구나

앞으로 갈 길
멀고도 험난하구나

결국 제자리 서서
반복에 반복을 거듭한다

널 향한 나의 마음도
이 길이다

외사랑의 시간

그를 바라보는 나
그녀를 바라보는 그

그녀가 그와 다시 인연을 만들까
벌써부터 불안한 마음이
내 방문을 두드린다

그만 둘 때도 되었지만
깊은 늪에 빠진 사람처럼
무언 갈 할수록 더 깊게 빠져만 간다

짝사랑이
외사랑이 되어가고
외사랑은
결국 홀로 받는 아픔이 된다

그도 아프겠지만
그녀와 만나길 바라는 널
부정하는 못된 나의 모습을 넌 알까

그 누구보다
너와 우연이란 인연을 간절히 바라는
내 마음을 넌 알겠지

끝은 뻔하겠지

빌고 바란다

너를 하는 사랑에 눈물은 없기를
혼자 하는 사랑에는 제발 눈물이 없기를
억지로 하는 사랑이 되지 않기를
마지막 장 마저도 홀로 서 있지 않기를
빌고, 또 빈다

내가 끝까지 널 사랑할 수 있기를
풍선처럼 부푼 마음이 쪼그라들지 않기를
네가 내 곁에 계속 남을 수 있기를
바라고, 또 바란다

나도 나를 포기하지 않고
너도 너를 포기하지 않고
내가 너를 포기하지 않도록
하루하루를 너로 버티도록

빌고 바란다

제 3 장 .

세 상 에 대 해 비 판 하 며

아픔의 쉼터

우리는 저마다의 아픔을 가지고 살아간다.

어떤 사람은 사랑의 아픔을,
어떤 사람은 사람의 아픔을,
너는 세상의 아픔을, 나는 과거의 아픔을 가지고
묵묵히 길을 나선다. 한 발짝 더 나아가다 넘어질까
아슬아슬한, 불분명한 나날들의 연속이겠지만
그럼에도 살아간다는 건
쉬지 않고 걸어간다는 거니까, 길을 나선다.
그러다 길 중간에 작은 의자하나 마주치면 잠시
쉬어가기도 한다. 만일 요즘 내가 너무 지친다면,
길 중간에 작은 의자하나 지나친게 아닌지
조심스럽게 되돌아봐라.

우리는 누구나.
쉼 없이는 살아갈 수 없는 쉼 없는 세상에 사니까.

버림받는 다는 것은

많은 사람들은 날 떠나갔다
평생 같이하자는 약속을 남겨두고
모두 날 떠나갔다.

그래서 난 불확실한 관계가 너무나도 두렵다.
내가 준 만큼 받지 못할까봐 주지 못하게 된다.

그때의 아픔은 그때 끝나지 않았다.
만나는 사람사람마다 찾아와 날 괴롭힌다.

이런 내 상처를 채워 줄 사람이 찾아오길 바랐다.
아직까지도 그 사람은 내게 찾아오지 않았다.

넌 알고 있니? 1

눈물이 왈칵 쏟아지는 날에는
하늘을 바라본다

밤이든 낮이든
애써 울음 참는 내 모습을 들키기 싫어서
강해야만 하는 내가
약해진 모습을 들키기 싫어서

내 아픔, 해야 달아 너희만 알아주라. 하며
해와 달에게 애써 미소 짓는 모습 보여주며

요즘은 하늘을 참, 많이 올려다보는 것 같다

포기와 이유

늘어가는 사람들의 포기
늘어가는 포기의 이유

줄어가는 삶의 목적
줄어가는 목적의 이유

우리는 모두 이유를 잃고 있었고
이유를 잃었다.

이야기

우리가 서로 사랑했던 시절, 아니,
우리가 서로 사랑한 줄만 알았던 시절의
이야기였다.

우린 아름다운 날 만나 아름다운 날 이별을 고했다.
그땐 그저 너와 나의 인연이 여기까지구나 싶었지만

네 이야기를 들었다.

사실 넌 나와 지낸 모든 시간, 모든 순간에
진심이었던 적이 없었다는 이야기를.
난 네가 만든 너라는 세상에 빠져
홀로 추억을 만들어갔다는 사실을 난.
이제서야 깨달았다.

결국 또 다시
난 영원히 혼자라는 사실을
너와의 만남으로, 추억으로, 기억으로,
뼈저리게 느끼고 깨달았다
사랑이란 무엇인지
다시 비로소 깨닫게 되었다

변화

사람은 시간의 흐름에 따라
자연스럽게 변해간다.

우리가 흔히 말하는 "사람은 변하지 않아" 에 해당
되는 것이 아닌 변함이다.
너와 마주침이 없었던 몇 년 사이, 내가 아는 너는
없어져있었다. 그 날, 그 시간에 널 존경하게 만든 네
삶의 신념들은 온데간데없이 사라져버렸다.

이제 나에게 넌 네가 아니다.
넌 시간과 함께 흘러버렸다.
나와 함께 한 시간과 함께 너라는 친구는 사라졌다.

변해버린 네가
변한 내겐
익숙하지 않아
매일같이 널 외면한다

어른이 되면

어른이 되면
시간이 지나면
이 모든 아픔 지나가겠지

어른이 되면
내가 조금 더 자라면
이 정도 아픔 지나가겠지

어른이란게 그런거라면
난 바라지 않으리

무한한 가능성으로 가득한 세상에
확신이란 없으니
변수란 무한하니

어른이 되지 않아도
아픔 떠나보내리

거울

낮보단 밤이 더 잘 어울리더라

밤은 어둡지만
어둡기에 이토록 빛나는 네가 더 빛나보이더라

밤만 되면 눈물 흘리는 네게
넌 그 어느 때 보다 더 빛난다고 말해주고 싶었다

한번쯤은 네 빛나던 인생을 되돌아보라고

거울을 보고 말했다

한탄

나는,
필요와 불필요에 의해 결정되는 세상이
너무나도 미워 세상의 끝에 서 있다.
성공과 실패에 의해 결정되는 세상이
너무나도 억울해 눈물 흘리고 있다.

실패는 성공의 어머니라면서
어머니는 온데간데없고 나 홀로 실패의 길에
서 있다
말과 행동이 다른 사람들 속에서
쓸쓸히 어둠 속을 걸어가고 있다

도움을 줘야 할 사람들이
도움을 바라는데도
도움을 주지 않고 있다

이게 내가 앞으로 살아가야 할 세상인가
내가 보고 있는 현실이 내가 볼 미래인가

하루하루의 도전과 선택으로 만들어질 미래가 아닌
하루의 도전과 선택으로 만들어질 미래인가

앞으로 나아가야할 길이
이렇게나 멀리 뻗어있는데
그 길
나 홀로 걸어야 하는가

자살률 1위 국가
자살방지 문구와 자살방지 캠페인
학교폭력 방지 문구와 학교폭력 방지 캠페인
막으려는 사회

과연 그들은
정말 그들은
사회를 위해 힘쓰는 것이 맞는가
홀로 걷게 될 아이들의 미래에
그림자 되어 빛을 삼키는 자가 아닌가

당신은 어른 되어
사회의 강자가 되어
우리를 지켜주고 서나 존경이란 말을
감히 꺼내는 것인가

울다가도 웃어야만 하는 삶이 있다
누군가를 지켜야 해서
누군가를 이겨야 해서
누군가에게 약한 모습 보이기 싫어서

이유가 무엇이 되었든
울다가도 웃어야만 하는 삶은
그 삶을 사는 사람은
마음이 찢어질 듯 아픈 날의 연속을 살아간다
그리고 약해져만 간다

우리가 보는 웃음과 행복이 가면이라면
함부로 "밝다." 라고 말하지 말자

때로는 빛조차
날카로운 칼날이 될 수도 있으니

그리고
난 그 빛이 너무 아프니

내가 아닌 나

난 빛 없는 낮 같아서
어둠 없는 밤 같아서
무언가 공허한 밤을 견디는 빛 같아서

쓸쓸한 날들의 끝에 찾아온 너라는 빛은
처음엔 공허한 밤에 빛나던 하나의 가로등이었다

하루, 이틀이 지나고 작았던 가로등은
저 넓은 하늘 달 되어 공허한 내 밤을 밝혔다

하지만 그 달은 늘 한 곳만 바라보았다
나는
기다리고 또 기다렸다

세상을 비춘 그 달이
날 바라봐줄 때 까지

그 달은 누구에게나 밝은 게 아니라고 믿으며

빛이라는 이름을 가진 너로 인해 살아냈다
살아있다

죽음이라는 단어가 머릿속에 떠오르는 날
내게 내미는 손이 그리워질 순간에

그 고비 참으면 괜찮아질텐데

손길 그리워 따스한 그 손 찾기 시작할때면
결국
벗어날 수 없는 무한의 굴레에 빠져
내가 아닌 나로 영원히 남는다

살아야 할까

이토록 넓은 세상에서
어쩌면 개미보다도 작을 그들에 의해
이토록 넓은 세상에서
이토록 소중한 날 포기하기엔
내가 너무 불쌍해서

살아야 할까
살아야 알까

살아야 할까라는 답
살아야 알겠지

실은 날 미워하고 사랑하는 날 위해
조금 더 시간을 주어

나도 너처럼

괜찮은지
그렇게 너의 잎사귀들이 하나 둘 바닥을 찍어도
넌 정말 괜찮은지
넌 어떻게 아무렇지도 않은지

나는 사라져가는 것들에게 눈물 보이며 붙잡는데
너는 사라져가는 것들에게 아무렇지 않을 수 있는지

사라짐이
너애겐 사라짐이 아닌지

곧 찾아 올 겨울 춥고 외로워도
너는 그것이 두렵지 않은지
.
나도
네가 되고 싶어

도둑고양이

검은 고양이야
네가 하얀 고양이였더라면
너는 도둑 고양이가 아니었을지도 모르겠다

검다는 부정
하얗다는 긍정
이를 추구하는 세상에 태어난 너의 잘못이겠지

도둑 고양이야
너는 정말 도둑 고양이 인것이냐
넌 살고자 누군가의 물건을 낚아채 간것이 아니냐
탐욕이란 그저 '바라는 마음' 일 뿐인데
고양이란 이유로 천한 대접을 받는 것
일지도 모른다

고양이도 강아지도 같은 위치에서 경쟁하던 세계에
사람이란 종이 만들어져
너희의 영역을 다스리고 있다

너의 영역을 다스리며
너에겐 도둑 고양이라는 이름을 붙여주었구나

비록 넌 도둑 고양이가 무엇을 의미하는지는
모르겠지만
혹시라도 그를 알게 된다면
너는
사람이라는 하나의 종이 만든 세상에게
어떤 감정을 가질 것 같으냐

제 5 장.

실은, 식어가는 마음

기분, 하루, 너

네가 하는 말 하나하나에 기분이 바뀌고
네가 하는 행동 하나하나에 하루가 바뀐다

너를 좋아하는 것을 포기 해보려 해도
매일 바뀌는 하루를 보면,
내 기분을 보면,
그럴 수 없겠다는 것을 알게 된다.

미안하고 고마운

매일 줄넘기를 가지고 다니던 때가 있었다

키가 크는게 목적이지도 않았지만
매일 줄넘기를 들고 다녔다

아파트 계단에 앉아 줄넘기를 걸고
매일 포기하는 연습을 해야했기 때문이다

매일 약을 가지고 다니던 때가 있었다

다친 것도 아니지만
매일 약을 가지고 다녔다

언제 어디서든
같이 먹으면 안되는 약을 외워두고
같이 먹기를 반복했다

사는게 정말 외롭고 고독한데
그 외로움과 고독을 끊어준게 너였다.
그러니 매 순간 미안하면서도 고마울 수 밖에.

이별이란게

어쩔 수 없는 이별이라면
붙잡진 않으리

만날 인연은 결국 만나니
내가 그대를 잡지 않아도 결국
그렇게 믿고 몇년 세월 흘려보내야지

만일 그 세월 흘려보내도 그대 간다면
그것은 그때 잡았어도 결국 떠날 인연이였을테니
후회없이 그대 보내줘야지

하지만 그래도
아무리 흘러가는 세월타고 흘러가는 인연이래도
행복을 찾는 훗날 청춘에게
너무 각박한 현실을 안겨준 것이 아닌지

넌 알고 있니? 2

너도 알고 있을까
넌 너 자체로도 정말 빛난다고
널 좋아하는 가장 큰 이유는 너 그 자체라는 사실을

누군가가 나에게 마음을 내어줬다고 하면
의도치 않게 그 마음을 가볍게 여길수도 있다
물론 다들 에이 그럴리가 하며 손사래를 치겠지만
나에게 있어서 내가 내어준 마음을
이토록 겸손히 받아들이고 자만하지 않는 사람은
네가 유일했다

그래서 그렇다
네가 어디에 있든
능력이 있든
정말 내가 아닌 누군가가 옆을 지키고 있더라도
넌 정말 빛나는 사람이라고

내가 널 마음에 품어서가 아니라
넌 너 자체로도 정말 빛나는 보석 같다고
만약 내가 떠나서
너에게 더 이상 이런 말을 하지 못하게 되어도
너라도 네가 가치있는 사람임을 알아줬으면 좋겠다

자각

네가 날 좋아하지 않는다는 것은 이미 알고 있다

그럼에도 널 그리는 건
좋아하는 마음을 포기한다는 것이 두려워서

하루의 일부
그것도 큰 비중을 차지하던 널 포기한다는 사실이
내 삶의 공허를 가져다 줄까
두려웠기에

함부로 좋아 할 수도
함부로 고백 할 수도
함부로 포기 할 수도 없다

네가 날 좋아하지 않는다는 사실은
나도 이미 알고 있다

마음풍선

서서히 너와 이별을 준비한다

나의 1년의 시간을 책임져 준 너에게
나보다 더 좋은 사람을 만날 너에게
내 곁을 떠나 넓은 세상에 발을 들이게 될 너에게

결코 서로가 서로를 좋아할 수는 없는 우리에게
이별의 때가 다가온 것 같아
이젠 크게 부풀려진 마음풍선의 바람을
서서히 빼본다

가벼운 결정이 아니기에
그건 꼭 알아주었으면 했기에
사실 홀로 널 사랑했기에

그저 그렇다고
나를 전하고 싶다

떠나지 않아

떠난다고 말했던 네가
떠나지 않는다는 사실이
왜 기쁘지 않을까

좋아하는 네가 앞으로도 남을 수 있다는 사실은
분명 내 마음에 따스한 햇살처럼 찾아와야하는데
왜 나는 네가 떠나지 않는다는 사실이
기쁘지 않을까

널 싫어해서는 아니다
네가 가길 바란 것도 아니다

왜인지
그냥
널 앞으로도 계속 혼자 좋아할 것 같아서

왜인지 모르는
그저 공백이랄까

네가 좋아했던 것

넌 날 좋아하는게 아니라
내 책을 좋아했던 것이었다.

원래 그런 사람이란 애초에 존재하지 않았다.
그저 너라서 조금 다를 거라고 믿어왔다.

나한테 먼저 연락하지 않는게
잘자라는 말이나 뭐하냐는 말도 하지 않는게
날 좋아하지 않아서가 아니라
그저 너라서 그런거라고 믿고 싶었다

그래도 받아들여야지
기다림의 끝은 여자로는 보이지 않는 나라는 사실을

제 4 장 .

너에게 전하는 내
마지막 메세지

너로 물든 하루

네 생각으로 하루를 시작하고
네 생각에 하루를 마무리한다

느긋한 너를 위해
그렇게 빨랐던 내가
느긋해진 걸 보면

네 엠비티아이만 아는 내가
검색어에 가득한
'ISFP가 좋아하는 것'을 보면

사실 악기는 다루지 못했던 내가
기타치는 널 위해
기타를 사는 걸 보면

커피도 마신 적 없는 내가
너와 생긴 약속 하나에
두근거리는 심장을 보면

색안경도 끼지 않은 내가
너와 나눈 말 한마디에
하루가 분홍빛으로 변하는 걸 보면

쌀쌀해진 오늘이지만
아무래도 내 마음은
조금 따스한 봄이 찾아왔나봐

아무래도 내 세상은
이미 너로 채워가나봐

그 말

왜 날 바라봐주지 않는지
한번쯤은 날 봐줄 줄 알았는데
왜 또 난 나인지
세상 모든 물음들이 내 주위를 맴돌았다.

네가 날 좋아하긴 한다는데
왜 자꾸만 나에게 상처를 주는지
난 그것을 알 방도가 없었다.

네가 좋아했던 그 말,

나에게 던진 물음표는 느낌표가 되어
내 안에 박혔다.

완벽한 네게

모든 사람은 조금씩 부족한 면이 있다는데

완벽에서 조금씩 부족하다는데

너에게선 왜 부족한 면이 보이지 않는지
완벽을 추구하는 나여서
사랑을 꿈꾸지 못하는 나일텐데
왜 너는 부족함 없이 채워져있는지

원망스럽지만
널 좋아한 내가 너무나도 밉지만

고맙다

참, 다행이다 1

내가 좋아했던 사람이 너라서 참, 다행이다
내가 진심이었던 사람이 너라서 참, 다행이다
이토록 아름다운 날, 아름다운 널 만나 참, 다행이다

그저 그렇게 다행이다,
너라는 이유 하나 만으로도 난
늘 다행이다.

참, 다행이다 2

내가 좋아한 사람이 너처럼
따뜻한 사람이라 다행이다.
너만 생각하는 것이 아니라 나를 생각해주는
너에게 큰 의미가 되지 않을지도 모르는 나를
생각해주는 네가,
바로 네가,
내가 반년이 넘도록 좋아한 사람인 것이 고맙다

너를 좋아하게 해주어서
너를 좋아하는 것이 행복할 수 있게 도와주어서
너에게 매일 고맙다

시간과 운명

비록 그것이 우리의 운명일지라도
너와 내가 함께 할 날의 끝일지라도

내가 기다린 몇 개월의 시간이
3달만에 끝이 난다고 하더라도

너와의 작은 이야기마저도 감사했던 내겐 고작 3달
이 아닐것이니

모두에게 생대적으로 흐르지만 동일하게 주어진 시
간이, 동일시되어 절대적으로 흐를 때 까지

나의 다짐

미안해하지 말아라
네 잘못이 아니다

널 좋아하는 것도
널 기다린 것도
모두,
결과에 상관없이
모두,

내가 받아들이겠다는 다짐이었다.

넌 알고 있을까?

넌 알고 있을까
날 보면 놀래는 너의 모습 조차도
나는 좋았다는 것을

다른 의미가 아니라,
네가 어떤 모습이든 모두 괜찮다는 것을

네가 얼마나 키가 큰지
네가 얼마나 잘생겼는지
네가 얼마나 멀리 있는지 마저도
나에겐 상관없었다는 사실을

그저 너라는 사실 하나만으로
널 좋아했다는 것을
넌 그저 날 바라보기만 하면 되었다는 것을
넌 정말 너 그 자체로 좋아하고 있다는 것을

넌 알고 있을까

마지막 메시지

그대를 잊지 못해 미안하다
당신이 그녀를 좋아하지 않는 법을 모르는 듯이
나도 당신을 좋아하지 않는 법은 배우지 못했다

살면서 이렇게 온 마음 다해 좋아한 사람은
당신 뿐이었다.
그래서 더 잊기가 힘들었나보다.

잊으려 해보고
또 잊으려 해봐도
너란 사람은 내 마음 속에서 떠나질 않았다.

우리가 한여름 밤의 꿈으로 남는다 해도
우리가 한 순간의 기억으로 남는다 해도

네가 어떤 모습이든
어디에 있든
난 너면 된다.

그러니
이 또한 수줍고도 무례했을
나의 마음을 전한다.

첫번째 고백은 과연 거짓이었어도
두번째 고백은 눈물 머금고
마지막 나의 고백은,
나의 온 마음을 담은 고백이 되리라

나에게 사랑을 가르쳐준 그대에게
누군가를 사랑하는 법을 알려준 그대에게
너무나도 착한 그대에게 전한다

나와 미래를 함께 하자고

넌 같았다

나에게 넌, 봄날의 햇살 같았다
쌀쌀했던 나의 마음 계절 지나고
봄이 왔다는 걸 가장 크게 알리는
따스하고도 아름다운 봄날의 햇살 같았다

나에게 넌, 풀잎에 맺힌 물방울 같았다
삶의 부분을 시작하는 아침에
시작을 알리는 뿌연 안개 속에서도
풀잎에 송골송골 맺혀 남아있는 물방울 같았다

나에게 넌, 유일하게 변하지 않는 하나 같았다
세상 모든 것이 변해도
내 곁에 있어 줄 것만 같은
친구 이상을 바라는 친구 같았다

말한다

넌 정말 좋은 사람이다
그 사실 하나가 널 좋아하게 만든다

죽는 순간까지도, 슬퍼하는 순간까지도,
결국 널 위해 살아낸다

네가 날 바라보지않아도
넌 정말 좋은사람이라서
아무렴 다 괜찮게 된다

그러니
그 어떤 것도 너의 탓이 아니라고
결국 내가 사라지더라도 네 탓이 아니라고
날 위해서라도 넌 아파하지 말라고

난 네 덕분에 살아갔고 살아냈고
네가 있어서 빛났고 네 말들로 위로를 받았고

너라서

그 이유하나만으로도

너무 행복해서

너와 만나는 시간들이 모두 너였다고

그게 너인걸

함께 할 때 웃을 수 있고
함께 하기에 힘이 나는

내 삶의 의미가 되어주는 사람을 만나라
친구든, 연인이든
함께 이기에 각자의 인생이 가치 있어지는
더 밝게 빛을 내는 그런 사람을 만나라

그런 너를 만나라

소중한 처음

처음이란 소중하다

첫눈을 좋아하는 사람과 함께 보는 것
너와 처음보는 장소에 처음으로 같이 가는 것
너와 처음 나눈 이야기까지도
처음이기에 소중하다

그렇지만
처음도 소중하지만
난 무엇이든 같이 하는 사람이
더 중요하다고 생각한다

너와 걷는 이 길이 처음이든 두번째이든
너와 걸었다는 사실 하나는 변치 않으니까

결국 널 만난 건 처음이든 두번째가 되었든
모두 소중하니까

닫으며

이렇게 그를 위한, 어쩌면 마지막이 되었을 저의 이야기가 마무리 되었습니다.

첫 번째, 두 번째를 지나,
그리고 세 번째 고백, 사실 결과는 다 알고 있지만 그가 떠나기 전 마지막으로 하고 싶었던 이야기였기에 꼭 마음을 전하고 싶었습니다. 이 책을 펼칠 때 앞서 말했던 내용처럼 그가 이 책을 다 읽었을 때 쯤, 그 때 세 번째로 진심을 전할 것입니다.

비록 한 사람만을 위한 제 사랑이야기, 아픔의 이야기는 이 책을 끝으로 막을 내리겠지만, 앞으로 멀리 펼쳐져 있는 미래에 대해 묻고 답하는, 성장한 사람으로서 남은 삶의 이야기를 이끌어 낼 것입니다

때로는 울고,
때로는 그리워하고,
때로는 아파했던
과거의 시간들에게.

때로는 좋아했고,
때로는 감동을 받았고,
때로는 기분이 좌지우지 되었던
삶의 이유였던 그에게

마지막 말을 전하고, 마지막 마음을 전합니다.